clave

Brian Tracy es el presidente de Brian Tracy International, una compañía de desarrollo de recursos humanos con sede en Solana Beach, California. Ha escrito 70 libros y desarrollado más de 800 programas de entrenamiento en audio y vídeo. Sus materiales han sido traducidos a 40 idiomas y utilizados en 64 países.
Brian ha sido consultor de más de 1.000 empresas y es uno de los mejores conferenciantes e instructores del mundo. Imparte cursos a más de 250.000 personas cada año sobre temas de liderazgo, estrategia, ventas, desarrollo personal y éxito empresarial. Ha dado más de 5.000 conferencias y seminarios a 5 millones de personas alrededor del mundo, brindando una mezcla única de humor, perspicacia, información e inspiración. Ha publicado, entre otros, *Si lo crees, lo creas*, junto con la psicoterapeuta Christina Stein; *Habla menos, actúa más*; *Conecta con los demás*; *Conecta con el dinero*; *Multiplica tu dinero*; *Emprende tu propio negocio*, y *El plan Fénix*.

Para más información, visita la página web del autor:
www.briantracy.com

También puedes seguir a Brian Tracy en sus redes sociales:
Brian Tracy
@BrianTracy
@thebriantracy
Brian Tracy

BRIAN TRACY

Habla menos, actúa más

7 pasos para conquistar tus metas

Traducción de
Elena Preciado

DEBOLS!LLO

Papel certificado por el Forest Stewardship Council®

Título original: *Just Shut Up and Do It!*
Primera edición: mayo de 2023
Sexta reimpresión: marzo de 2025

Printed in Spain – Impreso en España

ISBN: 978-84-663-7180-3
Depósito legal: B-5.776-2023

Impreso en Novoprint
Sant Andreu de la Barca (Barcelona)

P 3 7 1 8 0 3

Índice

Introducción: Ganar es para ganadores

"En lo más profundo del hombre habitan esos poderes adormecidos; poderes que le asombrarían, que jamás soñó poseer; fuerzas que revolucionarían su vida si despertaran y entraran en acción."

–Orison Swett Marden

Es probable que tengas más talento y habilidades de las que podrías utilizar en cien vidas. Tienes toda la inteligencia que requieres, en este preciso momento, y la capacidad de aprender cualquier tema que necesites para alcanzar las metas que te propongas. No hay límites para lo que puedes ser, hacer y tener, excepto los que tú pones en tu mente.

La gran pregunta

Hace muchos años, comencé a hacer la pregunta "¿Por qué algunas personas son más exitosas que otras?"

La respuesta más relevante me sorprendió tanto como sorprendería a cualquiera. Es simple. Tu éxito depende de lo que haces, los resultados que obtienes y qué tan rápido y eficientemente logras esos resultados.

No se basa en lo que dices, deseas, esperas o intentas hacer en un futuro. El éxito depende únicamente de lo que estás haciendo en este momento. Como dijo Henry Ford: "No puedes construir una reputación basada en lo que harás."

Vivimos en el momento más rápido, turbulento, disruptivo e impredecible de toda la historia humana. Este tipo de cambios rápidos a menudo hacen que la gente se vuelva distraída, indecisa, insegura y desmotivada. Como resultado, bajan la velocidad, se quedan estáticos y logran muy poco.

El activo más valioso

¿Cuál es el activo más valioso de una compañía? De acuerdo con la Harvard Business School, es su **reputación**. El activo más valioso de una compañía es lo que la gente dice sobre ella –y sobre sus productos y servicios– a otros consumidores o clientes potenciales.

Dado que la tecnología, la información y los gustos de los consumidores cambian velozmente, los productos y servicios cambian más rápido que nunca. Pero la reputación prevalece. De hecho, lo es todo. Piensa en compañías como Apple y Google. Su reputación es tan buena que son líderes mundiales en los productos y servicios que ofrecen.

Así que, ¿cuál es *tu* activo más valioso? También es tu reputación. Es lo que las personas piensan y dicen de ti cuando no estás ahí. Son las palabras que la gente utiliza para describirte y sobre todo para describir qué tan bien creen que realizas tu trabajo.

Obtener resultados

La parte más importante de tu reputación es tu capacidad para iniciar y completar tareas importantes, para hacer las cosas y ser conocido por tu velocidad y confiabilidad. Esto hará más por tu felicidad, salud, éxito y riqueza que cualquier otra faceta de tu reputación que puedas desarrollar.

¿Cuál es tu meta principal en la vida? De acuerdo con Aristóteles, detrás de cada meta hay otra meta hasta llegar finalmente a la meta principal, que es **ser feliz.** Todo lo que haces es un intento, exitoso o fallido, de alcanzar la felicidad de algún modo. De hecho, puedes medir tu nivel de éxito por el porcentaje de tiempo que eres una persona realmente feliz.

Esto es más importante que todo el dinero y los logros del mundo.

Alcanzar la felicidad

¿Cómo alcanzas la felicidad? En términos simples, la felicidad es **la realización progresiva de un objetivo digno o ideal**. Es sólo cuando sientes que te mueves paso a paso hacia el logro de algo importante para ti, cuando genuinamente te sientes pleno y feliz.

Todo el mundo quiere ser un ganador. Quieren ser vistos y pensados por otros como ganadores. ¿Cómo logras esto? Simple: ¡ganas!

¿Qué es ganar? En una carrera, cuando cruzas la línea de meta antes que cualquiera de los otros competidores, ganas.

En la vida, ganas al iniciar y completar tus tareas más importantes a tiempo y, de ser posible, antes que nadie: cruzas la línea de meta primero. Como resultado, te sientes maravilloso contigo. Tu cerebro libera endorfinas, la droga natural de la "felicidad", que te da una sensación general de paz y bienestar. Te sientes como un ganador.

Comienza y sigue adelante

En términos sencillos, tu capacidad para empezar y seguir adelante hasta completar las tareas que son más importantes para ti y tu compañía es la clave para ganar, para la felicidad, para una buena reputación y para el éxito en la vida.

En las siguientes páginas compartiré contigo un método de siete pasos simple, práctico y probado para lograr más en los próximos meses y años de lo que la mayoría de las personas realizan en su vida.

¡EMPECEMOS!

“No importa qué tan lento vayas,

lo importante es
nunca detenerse.”

CONFUCIO

Capítulo 1

El mayor obstáculo para el éxito

"Primero hacemos nuestros hábitos y luego nuestros hábitos nos hacen a nosotros."

–John Dryden

El 95 por ciento de lo que haces, o no haces, está determinado por tus **hábitos**. Tus acciones están determinadas por tus hábitos de creencia (la manera en que estás programado como resultado de tu experiencia de vida) y tus hábitos de comportamiento (lo que estás acostumbrado a hacer o no hacer).

El mayor obstáculo para el éxito es que las personas tienen hábitos negativos, a veces inconscientes, que les impiden, año tras año, realizar su pleno potencial.

La buena noticia es que todos los hábitos, primero de creencia y luego de comportamiento, son aprendidos. Dado que tus hábitos son aprendidos, pueden ser **desaprendidos** y remplazados con hábitos nuevos, positivos y constructivos que te permitirán ponerte en marcha, seguir adelante y hacer un trabajo maravilloso que te brinde un mejor salario y una rápida promoción.

Desarrolla nuevos y mejores hábitos

Los hábitos se desarrollan mediante la adopción de nueva información –ya sea positiva o negativa– y la repetición de acciones basadas en esa información hasta que dichas acciones se tornan automáticas. Esto es, una vez que el hábito está implantado respondes automáticamente, sin cuestionarte ni explicarte lo que decidiste hacer.

Los peores hábitos están basados en tus **creencias autolimitantes**. Éstas son áreas en las que crees estar limitado de alguna manera aunque puede no ser cierto; en consecuencia, actúas como si fuera verdad, y entonces se convierte en una realidad para ti. Como dice el dicho: "No eres lo que **crees** que eres, sino que eres lo que **crees**."

Desafía tus creencias

El punto de partida para un mayor éxito es que te tomes un tiempo para cuestionar tus suposiciones automáticas, las cuales te impiden tener éxito.

Algunas personas creen que no son inteligentes porque no obtuvieron buenas calificaciones en la escuela. Luego descubren que a algunas de las personas más exitosas en las industrias más complejas tampoco les fue bien en la escuela.

Algunas personas fracasan porque no se creen creativas, disciplinadas, organizadas, puntuales o capaces de aprender y aplicar cosas nuevas. Y dicen: "Así es como soy." Realmente creen que esto es una razón para no crecer y mejorar.

El hecho es que la mayoría de las creencias auto-limitantes no son ciertas. Están basadas en información adoptada. Algunas veces vienen de opiniones o críticas de los demás; otras, de algo tan simple como leer tu horóscopo.

La ruptura de tu potencial

La peor de todas las creencias autolimitantes es el **miedo al fracaso**. Éste es el miedo a la pérdida, la pobreza, los errores, o a no alcanzar una meta establecida. Las personas preocupadas por el miedo al fracaso constantemente buscan excusas de por qué algo no puede hacerse, por qué es una mala idea, o por qué podrían perder tiempo y dinero. El miedo al fracaso, como todos los miedos, paraliza el comportamiento, nubla el pensamiento y hace que una persona se sienta paralizada como un ciervo sorprendido por el cazador.

Domando elefantes

En mis seminarios, con frecuencia pregunto: "¿Cómo entrenas a un elefante hindú?" En cierto momento, los elefantes de la India fueron los "tanques de combate" de los Marajás. No sólo jalaban carros de arqueros y lanzadores en sus espaldas, sino que también eran violentos y agresivos, atacaban al enemigo y lo embestían con sus colmillos afilados. Eran tan aterradores y salvajes que los ejércitos enemigos escapaban al ser confrontados por estos animales.

Hoy en día, estos mismos elefantes son bestias de carga. Con calma y en paz aran los campos, arrastran troncos, hacen lo que sus amos les ordenan, y luego se quedan quietos en sus corrales, esperando el día siguiente de trabajo. Han perdido por completo su ferocidad y su habilidad de inculcar miedo al enemigo. ¿Cómo sucedió esto?

El entrenamiento comienza

Cuando el elefante es bebé, el amo lo separa de su madre y ata su pata con una cuerda gruesa a un poste bien cimentado. El elefante lucha y trata de escapar para regresar con su madre, llorando, gimiendo y protestando, pero sin ningún resultado. La cuerda alrededor de su pata es demasiado gruesa y el poste está bien arraigado. Eventualmente, deja de luchar.

Cada día, el amo separa al elefante bebé de su madre y lo ata al poste por varias horas. En poco tiempo, el animal acepta que cuando está atado al poste está **indefenso**. El elefante bebé desarrolló el mayor mal del mundo moderno, lo que los psicólogos llaman **indefensión aprendida.**

El elefante se rinde

Cuando el elefante se convierte en un animal de cinco toneladas, el ser terrestre más grande del mundo, lo único que tiene que hacer el amo es atar a la pata del elefante una cuerda del tamaño de una correa para perro, e inmediatamente el animal se dejará de mover y quedará pasivo. Entonces el amo puede atar el otro extremo de la correa a un tendedor de ropa enterrado a pocos centímetros de profundidad. El elefante, capaz de atravesar vallas y derrumbar casas, simplemente se quedará quieto y esperará a que el amo regrese y lo ponga a trabajar.

Cuando somos niños, lo mismo nos sucede. Desde temprana edad, nuestros padres nos dicen "¡No!", "¡Deja de hacer eso!", "¡No lo toques!" o "¡Aléjate de ahí!" Algunas veces los padres reforzarán esto con nalgadas u otros castigos físicos. El niño en crecimiento comienza a sentirse pequeño, incompetente, incapaz, débil y con miedo a probar cosas diferentes.

La raíz de la impotencia

La mayoría de las personas han tenido estas experiencias de niño. Como el elefante, cuando creces, cada vez que topes con algo nuevo, diferente, inesperado o incierto, tu reacción inmediata es la misma: "¡No puedo, no puedo, no puedo!"

Este miedo al fracaso te impide intentar nuevas cosas, tomar riesgos, salirte de tu zona de comodidad y pensar fuera de lo establecido. En lugar de considerar todas las formas en las que te podrías beneficiar y crecer al probar o hacer algo diferente, sólo piensas en lo negativo y lo inconveniente que podría pasar. Como el elefante hindú, te vuelves **pasivo**. Éste es el estado mental de 80% de la población.

Establece metas grandes

Te hago esta pregunta: ¿Te gustaría ser feliz, sano, popular, delgado y rico?

La mayoría diría, "¡Qué absurda pregunta! Por supuesto que quiero ser feliz, sano, popular, delgado y rico."

Piensas que quieres eso, pero en el fondo de tu corazón tal vez no crees que sea posible. ¿Cómo puedes saberlo? Al mirar lo que haces. Si realmente quisieras lograr estas metas, trabajarías en ellas todo el día, todos los días, y nada te impediría alcanzarlas.

Tus acciones dicen la verdad

Lo que importa no es lo que dices, deseas, esperas o intentas sino lo que haces. Tus acciones, hora por hora y minuto por minuto, te dicen a ti y a todos a tu alrededor, quién eres realmente y qué es lo que quieres.

Eres lo que eres y estás hoy donde estás gracias a todas tus elecciones anteriores. No puedes cambiar el pasado, pero sí el futuro. Puedes alcanzar más cosas diferentes en el futuro al tomar mejores decisiones en el presente.

La clave para el éxito

Dado que 95 por ciento de lo que haces, positivo o negativo, está determinado por tus hábitos, el secreto para crear un futuro maravilloso para ti es desarrollar nuevos hábitos que sean consistentes con la persona que quieres ser y las cosas que deseas alcanzar.

La verdad es que los malos hábitos son fáciles de adoptar pero difíciles de vivir. Los buenos hábitos son difíciles de asumir pero fáciles de vivir.

El maravilloso descubrimiento es que una vez que desarrollas un hábito positivo que mejore tu vida, pronto se convierte en automático y fácil. Incluso se vuelve más complicado regresar a un hábito negativo que practicar uno mejor debido a los sentimientos de felicidad y satisfacción personal que te brinda ese nuevo hábito.

Desarrollo de nuevos patrones de hábitos

¿Cómo desarrollas un nuevo hábito positivo? De la misma manera en que desarrollas un viejo hábito negativo. A través de la práctica y la repetición. Ésta es la fórmula:

1. **Desarrolla un hábito a la vez.** Comienza con algo sencillo, un hábito de las personas exitosas, como la puntualidad.
2. **Toma la decisión de ser puntual de ahora en adelante.** La determinación es extremadamente poderosa en el desarrollo de nuevos patrones de hábitos. La razón por la cual la mayoría de las personas actúa en un bajo nivel de desempeño es porque nunca deciden actuar en uno más alto.
3. **Crea una afirmación positiva estructurada como si ya tuvieras el nuevo hábito.** Di algo así: "Soy puntual para cada reunión y cita."

   Repite esto una y otra vez, como un mantra, hasta que sea aceptado por tu subconsciente como una **orden**. Una vez que tu subconsciente acepte esta nueva instrucción, serás más puntual e incluso disfrutarás la experiencia.

   Vince Lombardi, el entrenador de futbol, era famoso por lo que se conocía como el tiempo Lombardi. El tiempo Lombardi era definido como "quince minutos antes de la hora acordada". Si el autobús estaba programado para las 9:00 a.m., todos los jugadores estaban entrenados para llegar a las 8:45 a.m. Si no estabas ahí el autobús se iría sin ti.

Practica el tiempo Lombardi en todas las áreas de tu vida. Toma la decisión no sólo de estar a tiempo, sino diez o quince minutos antes de tu cita.

4. **Visualízate como si ya tuvieras el hábito de la puntualidad.** Crea una imagen mental clara de ti comportándote exactamente como te gustaría en el futuro. Recuerda: todas las mejoras en el desempeño personal comienzan con mejorar tu imagen mental.
5. **Actúa como si ya tuvieras el hábito que deseas.** Pregúntate: "¿Cómo me comportaría si fuera una de las personas más puntuales?" Compórtate como crees que otras personas puntuales se comportan. **Pretende** que ya eres la persona que quieres ser.
6. **Crea los sentimientos de orgullo, felicidad y autocontrol que tendrás cuando seas siempre puntual.** Estas emociones de orgullo, confianza y respeto conducen al hábito y al comportamiento más profundo en tu subconsciente, haciendo que el nuevo hábito sea automático, rápido y fácil.

Éste es un gran descubrimiento: el desarrollo y práctica de cualquier hábito positivo fortalece y refuerza al mismo tiempo todos tus otros hábitos positivos.

Cualquier debilidad o permisividad en una disciplina en particular debilitará todos tus otros hábitos positivos también.

La peor enfermedad

La peor enfermedad, la que quebranta y sabotea la mayor parte del éxito, se llama *excusitis*. Se define como "una inflamación de la glándula para hacer excusas". Es inevitablemente fatal para el éxito.

Una de las señas de identidad de la gente en pleno funcionamiento es que nunca se quejan, no dan explicaciones. Nunca dan excusas o justifican su comportamiento. Simplemente lo hacen o no lo hacen, pero nunca se quejan de estancarse en el tránsito o cualquiera de las numerosas excusas que la gente débil utiliza para justificar su tardanza.

Elimina el **lenguaje de fracaso** de tu vocabulario. Rehúsate a decir cosas como "Lo intentaré" o "Haré mi mejor esfuerzo".

Estas expresiones son excusas para el fracaso de **antemano.** Cuando alguien dice "Intentaré hacerlo para esa fecha", lo que dicen es "Te estoy dando una clara señal de que fracasaré. No lo voy a hacer a tiempo. No me puedes culpar si no se hace".

Inventar excusas te hace sentir pequeño e inseguro. Además de que no engañan a nadie. Todo el mundo sabe que quienes anteponen excusas son las personas incompetentes de las que no se puede depender.

Isla de la fantasía

Bromeamos y decimos que todos quieren ser exitosos, ricos, delgados, populares y tener una gran vida. Pero antes de empezar, deciden que necesitan unas pequeñas vacaciones. Así que todos van a un maravilloso lugar mental de vacaciones, una isla llamada *Algún día*.

Dicen "Algún día trabajaré más duro y obtendré una promoción." "Algún día leeré ese libro y mejoraré mis habilidades." "Algún día comenzaré ese programa de adelgazamiento y eliminaré esos kilos de más." "Algún día aprenderé cómo manejar mi tiempo para ser más productivo." Etcétera, etcétera, etcétera.

¿Y quién está con ellos en la isla? Están rodeados por otras personas que viven en *Algún día*. ¿Y cuál es el tema de conversación favorito en *Algún día?* Sus excusas favoritas, por supuesto.

Excusas favoritas

A las personas que viven en esta isla les gusta intercambiar excusas. "¿Cuál es tu razón para estar aquí en la isla?", se preguntan unos a otros. Y luego van y vienen, compartiendo sus excusas favoritas por no vivir a la altura de su potencial.

Como dijo Mark Twain: "Hay mil excusas para el fracaso, pero nunca una buena razón."

Aquí está el secreto para el éxito:

¡Depórtate de esa isla!

No más *excusitis* para ti. No más viajes a *Algún día*. En su lugar, uno a uno, **decídete a desarrollar hábitos de alto rendimiento**. Comienza en este momento. Elige un hábito que te gustaría desarrollar y trabaja en él durante un mes. Practica diario. Nunca permitas una excepción. Si te sales del camino, como sucederá de vez en cuando, inmediatamente regresa a practicar tu hábito.

Haz esto una y otra vez hasta que finalmente se vuelva fácil y automático. Luego, comienza con el siguiente hábito que requieres desarrollar para convertirte en tu mejor versión. Más importante, desarrolla el hábito de iniciar y continuar tu tarea más importante.

“Mantente enfocado, persigue tus sueños

y sigue avanzando
hacia tus metas.”

LL Cool J

Capítulo 2

Toma el control de tu vida

> "Hazte responsable de un estándar más alto del que se espera de ti. No encuentres excusas."
>
> –John Dryden

Tu objetivo es sentirte poderoso con un propósito, competente y capaz de hacer lo que sea para alcanzar cualquier meta. Pero antes de otra cosa, hay algo que debes realizar **primero**.

Tienes que hacerte 100 por ciento responsable de la persona que eres hoy, por todo lo que has hecho y alcanzado, y por todo lo que alcanzarás. **Eres el responsable.** Nadie va a rescatarte, todo depende de ti.

La gran diferencia

Aceptar la responsabilidad personal es la gran diferencia entre ganadores y perdedores, entre líderes y seguidores, entre ricos y pobres.

Cuando somos niños, nos acostumbramos a que nuestros padres tomen todas las decisiones importantes por nosotros. Deciden qué ropa usaremos, qué comeremos, qué haremos y a dónde iremos. Y así debe ser cuando eres pequeño.

Idealmente, conforme creces, asumes más y más responsabilidades; cuando te conviertes en adulto asumes 100 por ciento de la responsabilidad. Estás por tu cuenta. Tomas tus propias decisiones y elecciones. Haces lo que quieres y te rehúsas a hacer lo que no quieres. Estás a cargo.

Escapar de la dependencia

Sin embargo, la mayoría de las personas, muy en el fondo, tienen el hábito de la dependencia en más de un área de su vida. Piensan, sienten, esperan y desean que alguna vez, de alguna manera, alguien llegará para rescatarlas. Alguien les enseñará y los capacitará, les dará un empleo y tomará todas las decisiones importantes por ellos en su vida laboral.

Transfieren su necesidad de dependencia de sus padres a sus jefes y compañías, convirtiéndose en personas pasivas, como el elefante hindú, y esperan que alguien llegue y les diga qué hacer.

El tiempo pasa

Toman el primer trabajo que les ofrecen, agachan la cabeza y dicen, "si quieres pertenecer, debes seguir la corriente".

Un día, levantan la cabeza, miran a su alrededor y descubren que tienen 65 años. Han terminado su vida activa laboral, sus cuentas bancarias están casi vacías, y todavía les quedan varios años por delante para sobrevivir con pocos ahorros, pensiones y el Seguro Social.

Esta historia del escritor Joseph Campbell muestra este punto.

Campbell escribe sobre salir a cenar en un pequeño restaurante del vecindario. En la mesa de al lado, una pareja está sentada con su hijo de diez años.

Refiriéndose al platillo que le sirvieron, el hijo dice: "No me gusta."

El padre le contesta con severidad: "Ésa es tu cena. Cómetela."

El niño responde: "¡No quiero!"

En este punto el padre se enoja y explota, alza la voz y dice: "¿No quieres? ¿No quieres? ¡Nunca hice nada que yo quisiera en toda mi vida!"

La raíz de la infelicidad

Cuando comencé a estudiar el éxito, me topé con una enseñanza que cambió mi vida para siempre. Decía que el objetivo principal en la vida son las emociones positivas, ser feliz. El único obstáculo para la felicidad y la emoción positiva es la **emoción negativa**. Por lo tanto, la vida se trata de eliminar las emociones negativas de todo tipo.

¿En serio? ¿Puede ser así de sencillo? Conforme estudiaba el tema del éxito y la felicidad, me di cuenta de que los grandes enemigos del hombre, de ti, de mí, de todos los demás, son las emociones negativas de todo tipo.

Si pudiéramos deshacernos de nuestras emociones negativas, nuestras mentes se llenarían automáticamente con emociones positivas, de paz, gozo y felicidad.

El gran problema

Existen más de cincuenta emociones negativas identificadas, y hay bibliotecas llenas de libros sobre su origen. Los psicólogos, psicoanalistas y psicoterapeutas ayudan a las personas a lidiar con estos sentimientos que los hacen infelices e interfieren con su calidad de vida, así como los *coaches*, consejeros, ministros, terapeutas y buenos amigos.

Pero después de miles de horas de investigación, finalmente encontré el secreto, la manera de deshacerse de las emociones negativas, de una vez por todas, y casi de manera inmediata.

Lo que descubrí fue que aunque existen tantas emociones negativas –envidia, resentimiento, miedo, duda, celos, odio, enojo e hipersensibilidad a los pensamientos, palabras y opiniones de los demás– todo se reduce a una causa raíz: **la culpa**.

La causa raíz de la negatividad

No es posible mantener una emoción negativa de cualquier tipo sin culpar a alguien o algo por tu infelicidad. Culpas a tus padres, tus hermanos, tus relaciones de pareja, tus malos jefes y a las personas que te mintieron, engañaron, lastimaron y se aprovecharon de ti de alguna manera.

Culpas a los ricos por el hecho de que hay gente pobre. Culpas a los exitosos por el hecho de que hay fracasos. Culpas a los miembros del partido político opuesto por todos los problemas de la vida y del mundo.

Sobre todo, culpas a los demás por lo que han hecho o no han hecho que te lastimó de algún modo.

Deja de culpar a los demás

¿Cómo dejas de culpar? Éste es el gran descubrimiento. Es simple y efectivo. Funciona 100 por ciento de las veces. Transforma tu mente de negativo a positivo, algunas veces en pocos segundos. Aquí está el descubrimiento: di las palabras "¡Soy responsable!" cada vez que te sientas enojado o molesto acerca de algo o alguien.

Estas palabras **"soy responsable"** son grandes neutralizadores. Justo como cuando jalas el enchufe fuera del contacto y la luz se apaga, cuando dices "soy responsable", tus emociones negativas se apagan y desaparecen.

No es posible decir "soy responsable" y estar enojado, preocupado o con miedo al mismo tiempo. Estas palabras "soy responsable" te regresan al asiento del conductor. Te permiten tomar el control de tu vida, pasando de víctima a vencedor. Te llevan de sentirte débil e inseguro a sentirte fuerte y

◆ ◆ ◆

Estas palabras "soy responsable" te regresan al asiento del conductor.

confiado. Estas palabras "soy responsable" repetidas una y otra vez reprograman tu mente y te transforman en una persona positiva, poderosa y fuerte.

Éxito vs. Fracaso

Cada persona tiene un mecanismo de éxito y uno de fracaso en su cerebro. Como sucede, tu mecanismo de fracaso es tu programación por *default*. Se prende automáticamente, activando continuamente tu tendencia a pensar negativamente.

Cuando estés solo –manejando, viendo la televisión o en cualquier trabajo o situación personal– te encontrarás automáticamente pensando en cosas que te hacen enojar o te ponen triste.

Platicas de eso con tus amigos y tu familia. Es el tema de conversación en la cena. Te mantienen en vigilia. Construyes conversaciones imaginarias sobre eso, incluso con personas que no están presentes, y algunas veces discutes con ellos furiosamente. Todo el mundo hace esto ocasionalmente.

Desencadena tu mecanismo de éxito

Tu mecanismo de éxito, sin embargo, es desencadenado por un objetivo, por tu completa aceptación de la responsabilidad de tu vida y luego trabajar por algo que te interesa, algo que realmente quieres. (Veremos más al respecto en el capítulo 4.)

Aquí está el truco: en lugar de usar tu mente brillante para pensar en todas las justificaciones y razones por las que te sientes negativo hacia alguien que crees que causó tu situación, deberías utilizar esa mente increíble para pensar en todas las razones por las que podrías ser responsable de una situación negativa ocurrida o que está ocurriendo en tu vida.

Cuando doy terapia y asesoría a personas, algunas veces hablan de sus matrimonios fallidos, de lo terrible que era su compañero y de cómo siguen enojados por lo que él o ella les hizo o no les hizo.

Fuiste el responsable

Luego les recuerdo que ellos fueron los responsables. Ellos decidieron casarse con esa persona, incluso si tuvieron dudas, lo cual es muy probable. Fueron ellos quienes decidieron permanecer casados. Fueron ellos quienes aguantaron las cosas negativas que la otra persona hizo o dijo. Fueron y son los responsables.

Por lo menos, eres responsable de lo que hagas a partir de este momento en adelante. La regla para la felicidad es nunca enojarse o molestarse por algo que no puedes cambiar. Y no puedes cambiar un suceso pasado. Lo único que puedes hacer con una experiencia infeliz es aprender de ella, luego déjala ir. Acepta 100 por ciento la responsabilidad.

◆ ◆ ◆

La regla para la felicidad es nunca enojarse o molestarse por algo que no puedes cambiar.

Piensa por qué

Aún mejor, piensa en la situación negativa que te sigue molestando y observa en qué manera fuiste responsable de lo que pasó. En vez de darle vueltas y vueltas a lo que la otra persona hizo o no hizo, piensa en todas las cosas que tú hiciste o no hiciste para ponerte en esa situación en primer lugar.

Conforme aceptes la responsabilidad y pienses en todas las razones por las que fuiste responsable, tu negatividad desaparecerá. En poco tiempo, algo que te hacia enojar desde hace varios meses o años se desvanece, como el humo del cigarro en una habitación grande, y desaparece para siempre.

Mantén el control emocional

Eleanor Roosevelt dijo: "Nadie puede hacerte sentir inferior sin tu consentimiento."

Cuando culpas a alguien más por algo que hizo o no hizo, le permites controlar tus emociones a distancia. De hecho les permites hacerte sentir pequeño, inferior y enojado. ¿Es esto lo que pensabas?

Sigue el consejo de Walt Whitman, quien dijo: "Mantén tu cara siempre hacia el sol y las sombras caerán detrás de ti."

Cuando aceptas la responsabilidad, recuperas el control de tu vida. Pasas de la infancia a la adultez de una zancada. Te conviertes en un maestro de las circunstancias en lugar de una víctima. Toda tu negatividad se disipa, y sólo quedan emociones positivas que enriquecen y mejoran tu vida.

Toma una decisión

Decide hoy aceptar 100 por ciento de la responsabilidad de todo lo que eres y serás. Puede ser la decisión más estimulante que jamás tomes. Esta decisión te hace libre para comenzar y continuar hacia lo que realmente quieres. Sin excusas.

“Ser el mejor es una falsa meta, tienes

que medir el éxito en tus propios términos.”

DAMIEN HIRST

Capítulo 3

Atrévete a ir hacia adelante

"Nada espléndido se ha alcanzado nunca excepto por aquellos que se atrevieron a creer que algo dentro de ellos era superior a las circunstancias."

—Bruce Barton

Uno de los requisitos más importantes para el éxito es la **orientación a la acción**. Se refiere a la motivación interna para comenzar inmediatamente una meta o un objetivo. La orientación a la acción se expresa en un sentimiento de urgencia y una impaciencia por realizar a la brevedad el trabajo. Es una de las cualidades más importantes de la gente exitosa en cualquier área.

El mayor obstáculo que impide tomar acción de inmediato es el miedo al fracaso, a la pérdida, a la vergüenza, a la crítica o a hacer el ridículo. Para alcanzar todo lo que es posible para ti, debes tomar control consciente y deliberadamente de los miedos que te detienen.

La autoconfianza cancela al miedo

El antídoto para el miedo es la autoconfianza. La autoconfianza te brinda la energía, el entusiasmo y el impulso para superar cualquier obstáculo, interno o externo, en la búsqueda de tu objetivo.

La autoconfianza se basa en el valor, y el valor es la cualidad clave que conduce al éxito.

Como dijo Winston Churchill: "El valor es, correctamente, la cualidad humana más estimada porque es la cualidad que garantiza todas las demás."

Margaret Thatcher lo dijo de esta forma: "Todo se reduce al valor en el momento crucial."

¡Sólo imagina! ¿Cómo sería tu vida si vivieras sin miedo? ¿Cómo sería si tuvieras tanta autoconfianza en tu capacidad de tener éxito que tomaras cualquier riesgo y avanzaras bajo cualquier circunstancia?

Todos tienen miedo

Todo el mundo tiene miedo de algunas cosas y, a menudo, de muchas cosas. La única diferencia es cómo enfrentas los miedos normales y naturales que experimentas cada día.

Ralph Waldo Emerson nos dio esta solución: "Haz lo que te da miedo y la muerte del miedo será segura."

La manera de superar tus miedos y desarrollar niveles inquebrantables de coraje y confianza en ti mismo es hacer de manera deliberada lo que te da miedo, una y otra vez, hasta que el miedo desaparezca.

Uno de los grandes miedos que nos detiene es el **miedo al rechazo**. Esto proviene de la crítica destructiva en la infancia. De adultos, continuamos siendo hipersensibles a las opiniones, reales o imaginarias, de los demás. Esta preocupación sobre lo que puedan pensar de nosotros por lo general nos impide intentar nuevas cosas.

Un principio de éxito valioso

Nunca hagas o dejes de hacer algo porque tienes miedo de lo que los demás puedan pensar de ti. La verdad es que **nadie está** pensando en ti en **absoluto**.

Es sorprendente cómo muchas personas se quedan en un mal trabajo, una relación infeliz, un mal matrimonio o una situación difícil de cualquier tipo porque están muy preocupados de que las personas los criticarán si deciden salir de la situación y alejarse. Cuando finalmente reúnen el valor para alejarse, por lo general se sorprenden de que a nadie le importa. Nadie está pensando en ellos en absoluto.

Enfrenta el miedo

En *Hamlet*, Shakespeare dice: "Oponer las armas al torrente de calamidades, y darles fin con atrevida resistencia." El descubrimiento interesante es que conforme **avanzas** hacia la persona o situación que temes y tomas medidas a pesar de tu miedo, tu miedo desaparece y es remplazado por valor.

Sin embargo, si te alejas de la persona o situación que te genera el miedo, el miedo crecerá hasta consumir tus pensamientos y sentimientos, distrayéndote en el día y quitándote el sueño por las noches.

Un joven periodista, Arthur Gordon, entrevistó a Thomas J. Watson Sr., el fundador de IBM, y le preguntó: "Señor Watson, ¿cómo puedo ser más exitoso rápidamente?"

◆ ◆ ◆

Watson respondió con las clásicas palabras: "Si quieres incrementar tu tasa de éxito, duplica tu tasa de fracaso... Ahí encontrarás el éxito, al otro extremo del fracaso."

Aprende a no tener miedo

Cuando entrevisto a personas adineradas, siempre me sorprende saber que varias de ellas, tal vez la mayoría, comenzaron sus carreras haciendo llamadas en frío para vender sus productos y servicios. Al enfrentar sus miedos al fracaso y al rechazo una y otra vez, alcanzaron el punto en el que ya no les daba miedo el fracaso.

La sola idea de realizar llamadas en frío es aterradora, incluso traumática, para muchas personas. He hablado con un sinnúmero de personas que aceptaron puestos de trabajo en ventas que requerían hacer llamadas en frío y literalmente colapsaron de miedo en unas cuantas horas y regresaron a un trabajo asalariado.

La única manera de superar el miedo a las llamadas en frío, o a cualquier otra cosa, es hacerlo una y otra vez. En mis seminarios de ventas, enseño el *100-call Method* [Método de las 100 llamadas]. Les digo a mis profesionales de las ventas que el modo más rápido de superar una caída en las ventas y duplicar sus ingresos es hacer un centenar de llamadas tan rápido como les sea posible, sin importar el resultado.

Olvídate del rechazo

Imagina que alguien te ofrece pagarte diez, veinte o treinta dólares por las siguientes cien personas que contactes, sea por teléfono o en persona, y recibirás tu pago sin importar si a la persona le agradaste, te odió, compró lo que ofrecías o incluso te colgó el teléfono. ¿Qué harías?

La respuesta es que si no tuvieras miedo al rechazo, llamarías a las cien personas tan rápido como pudieras. Y cuando lo haces lo más sorprendente sucede: al llamar a las personas, sin importar si te compran o no, desarrollas más energía y confianza que nunca. Y muchas de las personas en tus cien llamadas resultarán ser tus mejores clientes en las semanas y meses por venir.

Hazlo un juego

En el libro *The Happiness of Pursuit* (La felicidad de la búsqueda), el autor narra una historia tras otra sobre personas que decidieron superar sus miedos y se embarcaron en viajes y aventuras que habían pensado durante años pero nunca tuvieron el valor de perseguir.

En una de las historias, un hombre joven, extremadamente tímido en Houston, Texas, que estaba invadido por un miedo al rechazo y la crítica, decidió salir y pedir a un centenar de personas si podía hacer algo que nunca había hecho antes.

Les preguntó a personas en la calle si podía abrazarlas, a un jefe de bomberos si podía deslizarse por el tubo de incendios en la estación, y a otras personas si le darían cosas gratuitamente. Decidió salir y realizar cien peticiones extravagantes, sin importar si las personas decían que no. Al final de su experimento, la mayoría de su pena, sensibilidad y miedo al rechazo habían desaparecido.

Haz lo que te asusta

Darren Hardy, el editor de la revista *SUCCESS*, dijo: "Tener miedo es regalar tu poder. Haz lo que te asusta y lo recuperarás."

Cuenta la historia de cuando a los doce años quiso comprar una bicicleta sin tener los recursos necesarios. Lo que más le asustaba era pedir a las personas que le compraran algo y ser rechazado. Así que consiguió un trabajo en una compañía de ventas directas, vendiendo un pequeño producto a los peatones en las aceras.

Reunió todo su valor y se quedó ahí todo el día, acercándose a extraños, ofreciendo su producto, y pidiéndoles comprar. La mayoría lo rechazó inmediatamente. Pero después de dos días de trabajo, durante los cuales hizo ventas y ganó dinero, perdió completamente el miedo a las llamadas en frío y a la prospección para el resto de su vida. A los veinticinco años ya era millonario.

◆ ◆ ◆

En un estudio de Harvard, encontraron que los líderes no suelen utilizar la palabra "fracaso".

Experiencias de aprendizaje

En un estudio de Harvard, encontraron que los líderes no suelen utilizar la palabra *fracaso*. En su lugar utilizan el término *experiencias de aprendizaje*.

Dicen: "Ésta fue una experiencia de aprendizaje **valiosa**" o "Ésta fue una experiencia de aprendizaje costosa." O seguido dirán: "Ésta fue una experiencia de aprendizaje **dolorosa**." Pero nunca utilizarán la palabra *fracaso*.

En los negocios de hoy, para tener éxito, debes estar preparado para una gran cantidad de experiencias de aprendizaje, para encontrar la combinación del producto o servicio correcto y para hacer las cosas necesarias para vender con eficacia en un mercado cada vez más competitivo.

Cuatro pasos para el éxito

El proceso para el éxito en los negocios hoy es simple. Tiene cuatro partes:

1. Decide lo que quieres hacer.
2. Toma acción inmediatamente.
3. Falla y aprende rápidamente.
4. Vuelve a intentarlo, una y otra vez, hasta que triunfes.

Sin fracaso, sólo retroalimentación

La realidad es que no existe el fracaso, sólo la **retroalimentación**. Aprendes a tener éxito al fracasar, por lo que no le debes temer. De hecho, debes ver en retrospectiva cada experiencia de fracaso, sabiendo que cada una te acerca al éxito que deseas.

La periodista Dorothea Brande escribió: "Actúa como si fuera imposible fracasar, y así será."

Mark Victor Hansen secundó este pensamiento cuando dijo: "Lo que quieras te quiere."

De ahora en adelante, lo que sea que quieras, ¡ve por ello! Toma el riesgo. Sal de tu zona de seguridad. Intenta, intenta de nuevo, y luego una vez más.

Agarra el ritmo

Mientras más pronto fracases, más rápido obtendrás éxito. Aún mejor, mientras más fracases, más valor y confianza desarrollarás hasta que seas **imparable**. Nada te detendrá para alcanzar tus metas.

“El fracaso no me sobrecogerá jamás, si mi determinación

para alcanzar el éxito es lo suficientemente poderosa.”

Og Mandino

Capítulo 4

Decide qué es lo que realmente quieres

> "Ahora mismo, dentro de ti, está el poder de realizar cosas que nunca soñaste. Este poder se torna realizable para ti tan pronto como cambias tus creencias."
>
> —Maxwell Maltz

Tal vez el mejor descubrimiento en toda la historia de la humanidad sea este: te conviertes en lo que piensas la mayor parte del tiempo.

Éste es el principio base de cualquier religión, de la filosofía, de la psicología y del éxito. Como Ralph Waldo Emerson dijo: "Un hombre es lo que piensa durante todo el día."

La Biblia dice: "Como es su pensamiento en su corazón, tal es él."

Tu mundo exterior es un espejo de tu mundo interior. Si quieres cambiar algo en tu mundo exterior, debes trabajar en la única cosa que puedes controlar: tus pensamientos.

Debes tener hambre

Las personas exitosas en cualquier ámbito han sido entrevistadas muchas veces para ver qué les permite lograr mucho más que la persona promedio. Quizá la cualidad más importante de las personas exitosas es la **ambición**. Tienen hambre. Tienen un deseo ardiente de lograr más de lo que nunca antes han logrado.

Este deseo intenso de éxito y de logro es lo que los motiva, los energiza y los impulsa para superar cualquier obstáculo y para persistir hasta lograr sus objetivos.

¿Qué es lo que deseas más que cualquier otra cosa? ¿Qué te saca de tu cama por las mañanas y te impulsa a trabajar todo el día?

¿Cuál es el único objetivo que, si lo alcanzaras, haría la máxima diferencia en tu vida?

Necesitas un gran objetivo

¿Cuál es tu **GMA** (Gran Meta Audaz)? ¿Cuál es el único objetivo que, si lo alcanzaras, haría la máxima diferencia en tu vida?

Napoleón Hill escribió en *Piense y hágase rico:* "Las personas sólo comienzan a ser grandes cuando deciden de acuerdo con su máximo objetivo en la vida." ¿Cuál es el tuyo?

En mis seminarios he descubierto que la mayoría de las personas no tienen idea de cuál es su objetivo más importante. Les diría: "Entonces tu máximo objetivo en la vida debería ser encontrar cuál es tu máximo objetivo en la vida."

La buena noticia es que cuando tienen objetivos grandes, emocionantes e importantes, estarán constantemente motivados para tomar acción y lograrlos. Nada te detendrá.

Los objetivos son claros y específicos

Uno de los peores errores que una persona puede cometer, que es invariablemente fatal para el éxito, es creer que ya tienen objetivos cuando lo único que tienen son **deseos**.

Cuando pregunto a la audiencia en mis seminarios: "¿Cuántas personas aquí tienen objetivos?", todas las manos se alzan. Cuando pregunto a la gente en la audiencia al azar "¿Cuáles son tus objetivos?" dicen cosas como "Quiero ser exitoso", "Quiero tener mucho dinero", "Quiero ser feliz", "Quiero una familia contenta", "Quiero viajar", "Quiero ser millonario", entre otras cosas. Pero éstos no son objetivos; son fantasías, deseos, esperanzas, sueños e ilusiones. Todos las tienen. Estas aspiraciones son comunes a la humanidad y siempre lo han sido. Pero no son objetivos.

Cambia tu vida

En todo el mundo, la gente viene a mí y me dicen más o menos las mismas palabras: "Cambiaste mi vida; me hiciste rico." He oído estas palabras miles de veces. Cuando les pregunto: "Qué hay en mis cursos o libros que te ayudó tanto?", siempre sonríen y dicen, "Fueron los objetivos".

Siempre son los objetivos. El momento crucial en mi vida fue el mismo. Ocurrió cuando tenía veinticuatro años y descubrí los objetivos por primera vez. Un mes después de escribir una serie de objetivos en un papel, mi vida cambió por completo.

Como resultado de una serie de sucesos memorables, ocurrencias y coincidencias, había alcanzado todos los objetivos que escribí un mes antes. Era como tocar un cable eléctrico y electrocutarse, no volví a ser el mismo.

◆ ◆ ◆

Cuando tienes grandes objetivos por lograr, nada te impedirá alcanzarlos.

Planeación estratégica personal

Cuando trabajo con empresas, las guío a través de un proceso básico para establecer objetivos corporativos, y este proceso lo puedes aplicar en tu vida. Consta de siete pasos:

1. **Tus valores.** ¿En qué crees? ¿Qué es importante para ti? De todas las cosas en las que crees y que te importan, ¿cuál es la más importante? La clarificación de valores es el punto de partida del alto rendimiento, para una persona o para una organización.
2. **Tu visión.** Imagina que tuvieras una varita mágica que te llevara cinco años hacia el futuro, donde tu vida sería perfecta en todos los aspectos. ¿Cómo se vería? ¿Qué estarías haciendo? ¿Cuánto dinero ganarías? ¿Y cómo tu vida del futuro sería diferente a la actual?

Cuando desarrollas una visión emocionante para tu vida futura, para tu negocio, tu carrera, tu familia, tu salud y tu situación financiera, toda tu vida cambia. Tu visión del mundo interior se vuelve tu experiencia del mundo exterior.

3. **Tu misión.** ¿Qué quieres lograr con tu vida? Si tienes un negocio, ¿qué quieres lograr para tus clientes? ¿Qué quieres lograr para otras personas, tu familia y los clientes que deseas atender?

   Una persona con una misión clara para su futuro es mucho más determinada y enérgica que una persona que sólo va con el flujo de trabajo y luego se va a su casa a ver televisión.

4. **Tu propósito.** ¿Por qué haces lo que haces en lugar de hacer algo más? ¿Por qué elegiste esta carrera o negocio en particular? ¿Qué tiene tu campo de trabajo que te emociona, te inspira y te motiva cada día? Friedrich Nietzsche dijo, "El que tiene un **porqué** para vivir puede soportar casi cualquier **cómo**." ¿Cuál es tu *porqué*?
5. **Tus metas.** Son los resultados que quieres alcanzar. Es donde alineas tus valores, tu visión, misión y propósito para enfocarlos en un solo objetivo.

6. **Tus prioridades.** ¿Cuáles son las acciones más importantes que puedes tomar cada día para alcanzar tus objetivos más importantes, de acuerdo con tus valores, visión, misión y propósito?
7. **Tus acciones.** ¿Qué harás inmediatamente, en este momento, este minuto, para alcanzar lo que es más importante para ti?

Resulta que la gran diferencia en la desigualdad de ingresos no es entre 99 por ciento y 1 por ciento. En realidad, es entre el 3 por ciento que tiene metas y planes escritos, claros y específicos, y el otro 97 por ciento que no.

Establece tus metas

Si quieres formar parte del 3 por ciento, aquí hay algunos tips que puedes usar por el resto de tu vida para alcanzar tus metas. Te permitirán lograr cualquier cosa que te propongas, si en serio lo quieres.

1. **Decide qué es exactamente lo que quieres.** Sé específico. Tu objetivo debe ser lo suficien-

temente claro para que un niño de seis años sea capaz de entenderlo, explicarlo a otro niño de seis años y decirte qué tan cerca estás de cumplirlo.

2. **Escríbelo.** Sólo 3 por ciento de los adultos escriben sus metas, y ganan, en promedio, *diez veces más* que las otras personas con los mismos talentos, educación, habilidades y oportunidades.
3. **Establece una fecha límite.** Una meta puede describirse como "un sueño con una fecha límite".

   Establece fechas límite intermedias si tu meta es lo suficientemente grande. Una fecha límite actúa como un sistema forzado para tu mente subconsciente. Hace que te levantes por la mañana y te impulsa todo el día para lograr tus objetivos a tiempo.

   Si no alcanzas una meta en una fecha específica, simplemente establece otra fecha límite. Recuerda que no existen metas irreales, sólo fechas límite irreales.
4. **Haz una lista.** Escribe todo lo que se te ocurra para alcanzar tu meta. Como dijo Henry Ford: "Nada es demasiado difícil si se divide en pequeñas tareas."

5. **Organiza la lista.** Haz una lista de tareas y escribe todo lo que tendrás que realizar de acuerdo con una secuencia de tiempo. ¿Qué tendrías que realizar en primero, segundo y tercer lugar, y así consecutivamente?

   La regla es que cada minuto que tardes planeando te ahorrará diez minutos de ejecución. Una vez que tienes una lista de tareas, trabajarás con ella todos los días. Si nunca lo has hecho, te asombrará lo mucho que puedes lograr y lo rápido que lo harás.
6. **Toma acción.** Haz algo de inmediato con tu objetivo principal. No procrastines y no dudes. Da el primer paso.
7. **Haz algo todos los días.** A partir de este momento, haz algo cada día, siete días a la semana, que te acerque a tu objetivo principal. No desperdicies ningún día.

Al trabajar cada día en tu objetivo, desarrollarás ímpetu, lo que te hará moverte más rápido y más fácil. Como resultado, será natural ponerte en marcha y seguir adelante cada día.

◆ ◆ ◆

Al trabajar cada día en tu objetivo, desarrollarás ímpetu.

El método de las diez metas

Toma una hoja en blanco, escribe la palabra *metas* en la parte superior y la fecha de hoy. Luego, escribe diez metas que quieras alcanzar en los siguientes doce meses.

Pueden ser metas de una semana, un mes, seis meses o como prefieras, pero deben ser alcanzables dentro de los doce meses. Al parecer las metas alcanzables en menos de un año tienen un poder mucho más motivador que las metas a más largo plazo, que puedes establecer después.

La pregunta clave

Una vez que has escrito tus diez metas, pregúntate: "¿Cuál meta de esta lista, si tuviera que alcanzarla dentro de las siguientes 24 horas, tendría el mayor impacto positivo en mi vida?"

Cualquiera que sea tu respuesta, esa meta se convierte en tu objetivo preciso, tu GMA. Se convierte en el principio organizador de tu vida: tu punto focal, tu punto de concentración.

De ahora en adelante, trabaja en esta meta cada día. Cuando te levantes por la mañana, piensa en tu meta. Conforme transcurre el día, piensa en tu meta. Por la noche, revisa tu progreso hacia lograrla.

Crea tu propio milagro

Algo milagroso sucede cuando comienzas a concentrarte con gran determinación en tu meta más importante. Empiezas a progresar en todas tus **otras** metas simultáneamente. Tu vida entera se mueve hacia delante, como un ejército en marcha.

Muy pronto lograrás más en los próximos meses, que lo que muchas personas logran en varios años. Pero comienza con una gran meta. Ésta es tu mayor y única responsabilidad para ti y tu futuro. Empieza a trabajar en ella, y sigue adelante cada día.

“Nuestras metas sólo pueden alcanzarse a través de un vehículo que es el plan, en el que hay que creer

fervientemente,
y sobre el que
debemos actuar
con vigor. No hay
otro camino hacia
el éxito.”

PABLO PICASSO

Capítulo 5

Supera la procrastinación

"Aquél que planea cada mañana las transacciones del día y sigue su plan, lleva consigo un hilo que lo guiará a través del laberinto de una vida terriblemente ocupada".

–Victor Hugo

Todo el éxito viene de la **realización de tareas**, de comenzar un trabajo y completarlo tan pronto como sea posible.

Como los demás hábitos, la procrastinación es un comportamiento **aprendido**. Comienza en la primera infancia y aumenta con los años. El hábito de la procrastinación en los adultos es quizás la razón principal del bajo rendimiento y el fracaso en todas las áreas.

Abraham Lincoln dijo: "Las cosas pueden llegar a aquellos que esperan, pero sólo las cosas dejadas por aquellos que se dan prisa." Para superar la procrastinación, debes ir al extremo con una acción inmediata, una y otra vez, casi como un estilo de vida, hasta que la procrastinación sea remplazada con la finalización rápida de tareas.

Todo mundo procrastina

Todo mundo procrastina, sólo que en cosas diferentes. Los mejores gestores de tiempo procrastinan tanto como los peores. Sin embargo, las personas más productivas procrastinan en las cosas de menor valor, en 80 por ciento de las tareas que representa sólo 20 por ciento o menos de los resultados.

Las personas promedio, por el contrario, procrastinan en 20 por ciento de las actividades que representan 80 por ciento del valor de todo lo que hacen.

De ahora en adelante, practica la procrastinación creativa. Conscientemente decide que no harás actividades de bajo valor hasta completar las actividades de alto valor.

¿Qué te detiene?

Para superar la procrastinación, identifica los factores que te hacen procrastinar hoy y pensar en cuántos de ellos aplican para ti.

1. **Falta de claridad.** Si no tienes claridad o no estás seguro sobre la cosa más importante que hacer, terminarás haciendo cosas de bajo valor o sin valor. 95 por ciento del éxito en la vida viene de tener total claridad de tus metas más importantes y las cosas más importantes que puedes hacer, cada minuto, para lograrlas.
2. **Falta de ambición.** ¿Qué tanto lo quieres? Si no tienes un deseo intenso o una razón lo suficientemente grande para iniciar y terminar una tarea, nunca lo harás. Te enfermas de *excusitis* y continuamente te dices a ti mismo y a otros que pronto empezarás a trabajar en esa gran meta.
3. **Falta de prioridades.** Porque no has planeado ni organizado tu tarea por secuencia y prioridad, a menudo estás inseguro de qué hacer primero. Como resultado, no haces nada.
4. **Sobrecargar.** A menudo, tienes demasiadas actividades o tareas a realizar para el limitado tiempo disponible. Como resultado, acabas por tirar la toalla y decirte que "lo harás mañana".
5. **Falta de preparación.** No tienes a tu alcance todo lo que necesitas para iniciar y completar la tarea. A menudo, el acto de reunir todos los

materiales que se requieren en realidad ayuda a volcarte a la tarea.

6. **Falta de energía.** Necesitas de ocho a nueve horas de sueño cada noche, combinadas con alimentos sanos y nutritivos, para estar totalmente enérgico para realizar tu mejor trabajo. Como Vince Lombardi dijo: "La fatiga hace cobardes a todos."

   Cuando estás físicamente cansado o mentalmente agotado, careces de la energía necesaria para iniciar y completar una actividad.
7. **Falta de conocimiento.** Si no has aprendido todo lo que necesitas saber sobre tu trabajo, y no sabes qué hacer o cómo hacerlo, es común que lo procrastines hasta que tengas toda la información.
8. **Falta de autodisciplina.** Ésta es probablemente la peor debilidad de todas. Careces de la fuerza de voluntad para ponerte en marcha y continuar moviéndote.

¿Cuántos de estos factores se aplican a ti? Probablemente apliquen a todas las personas en alguno u otro momento. Para ser el mejor en tu área de trabajo, debes ver estos factores como enemigos, como obstáculos que te bloquean para alcanzar tu verdadero potencial.

Sé una persona orientada a la acción

Haz varios trucos que puedes aplicar para superar la procrastinación y volcarte a tus tareas más importantes.

1. **Haz una lista de tareas.** Haz escuchado que la falta de planificación es planear para el fracaso.

   Haz una lista ordenada de cada tarea en un trabajo grande, con una secuencia de la primera hasta la última tarea. El hecho mismo de tener una guía que seguir, reduce dramáticamente la procrastinación.
2. **Divide la tarea como un salami.** Nunca pensarías en comerte toda una pieza de salami al mismo tiempo. En su lugar, lo comes una

rebanada a la vez. Haz lo mismo con las grandes tareas. Corta una pequeña rebanada de la tarea, y completa esa actividad. No tienes que hacer todo, sólo haz una pequeña cosa. Eso será suficiente para iniciar la tarea.

3. **Técnica del queso suizo.** Perfora un agujero, como los agujeros del queso suizo, en tu tarea y decide trabajar por cinco o diez minutos sin parar. Cuando mires tu tarea, elige una pequeña parte y di enfáticamente "¡Haré esto ahorita!"
4. **Utiliza la regla 80/20.** Veinte por ciento de las cosas que haces equivalen a 80 por ciento de los resultados. Identifica 20 por ciento de las actividades que equivaldrán a 80 por ciento de tu éxito en este proyecto. Algunas veces, el primer 20 por ciento de las actividades que haces, como planear y organizar, equivalen al 80 por ciento de la tarea entera.
5. **Recompénsate.** Establece un calendario de recompensas para iniciar, trabajar y completar un trabajo específico. Recompénsate con una taza de café por hacer una cosa en tu lista. Recompénsate con un descanso de estiramiento por hacer diez llamadas a clientes. Recompénsate con una cena por alcanzar una meta financiera o numérica.

6. **Promete a otros.** Cuéntale a los demás que vas a realizar una actividad en particular en un tiempo determinado. Cuando sabes que otros te están observando y te has comprometido a realizar un trabajo en un tiempo específico, estarás más motivado para comenzar, continuar y completar el trabajo.
7. **Comienza de inmediato.** Trabaja en una tarea importante primero que nada todas las mañanas antes de revisar tu correo, celular o mensajes.
8. **Enfócate en cada tarea.** Elige tu tarea más importante, y comienza a primera hora, y luego trabaja hasta que la tarea esté 100 por ciento completada. Esto se llama **single-handling** [gestión simple], una de las técnicas de gestión más poderosa que se haya desarrollado.

Siéntete como ganador

Cuando completas una tarea, aunque sea pequeña, sientes una descarga de endorfinas. Te sientes feliz y motivado. Te sientes estimulado para comenzar tu siguiente proyecto y volver a experimentar esa feliz sensación de logro.

En el análisis final, la mejor reputación que puedes crear es la de **velocidad y confianza**. Cuando las personas tienen plena confianza en que te pueden dar una tarea y olvidarse por completo de ella por tu reputación de completar tareas, te convertirás en un imán para tareas más grandes, importantes y mejores. Cuando las personas saben que, sin importar la meta, la iniciarás y continuarás hasta completarla, **tu futuro estará garantizado**.

“La procrastinación es el asesino natural de la actitud.

No hay nada más fatigoso que una tarea incompleta.”

William James

Capítulo 6

Conviértete en un aprendiz de por vida

"Vive como si fueras a morir mañana.
Aprende como si fueras a vivir para siempre."

—MAHATMA GANDHI

Los mayores obstáculos para el éxito son la duda y el miedo de todo tipo. Primero, dudar de tu habilidad para obtener éxito en gran medida, de hacer tu trabajo bien y desempeñarte mejor que los demás. Dudar de ti mismo es una de las emociones negativas más destructivas. Puede hacer que renuncies antes de comenzar.

Segundo, tu miedo a no tener éxito. Este obstáculo –miedo al fracaso, del cual hemos hablado ya– te paraliza consciente e inconscientemente y te detiene, tropezando en cada paso del camino.

Los mejores antídotos

Los antídotos para la duda y el miedo son el **conocimiento** y las **habilidades**. Mientras más conocimiento tengas de un tema, menos dudas surgirán acerca de tu capacidad para tener éxito. Cuando te conviertes en un experto en el tema, desarrollas niveles tan altos de confianza que pronto estás dispuesto a asumir retos más y más grandes y lograr más y más en tu área.

El antídoto del miedo son las habilidades. Cuando has dedicado tiempo para planear, prepararte y practicar una y otra vez, sabes, en el fondo, que puedes realizar esa tarea en particular y eventualmente cualquier cosa que te propongas.

Hay ciertos estilos de pensamiento que dividen a las personas exitosas de las promedio. Uno de ellos es la diferencia entre pensamiento informado y pensamiento uniforme. Varios de los grandes errores que las personas cometen vienen de actuar sin tener la suficiente información. Como resultado, carecen de los hechos esenciales que ocasionan que cometan errores, fracasen o se queden cortos.

Mientras mejor informado estés en cualquier área, más confianza tendrás de tomar la decisión correcta y lograr el resultado deseado.

Genera tu fortuna

En la revista *Forbes* en la edición sobre millonarios de 2015, descubrieron que 66 por ciento de ellos hicieron su fortuna por sí mismos. Empezaron con poco o nada y han ganado más de un millón de dólares en el curso de su vida. Muchos de ellos tienen menos de cuarenta años y algunos son menores de treinta años.

Cuando les preguntaron a estos millonarios por qué sentían que habían tenido tanto éxito, muchos de ellos lo atribuyeron, al menos parcialmente, al **aprendizaje continuo**. Son como esponjas. Constantemente absorben información de todas las fuentes posibles. Descubrieron que una idea o intuición que tomes del aprendizaje continuo puede ser todo lo que necesitas para iniciar una fortuna.

No existe la suerte

Muchas de estas personas ricas dicen: "Simplemente tuve suerte." Sin embargo, cuando estudias sus antecedentes y las muchas cosas que hicieron y probaron en los años anteriores al éxito, te darás cuenta de que no fue suerte. En cambio, fue cuestión de **probabilidades**.

La ley de la probabilidad dice que existe una probabilidad de que nada suceda. Al utilizar ecuaciones de probabilidad, la de casi todo puede ser calculada con mucha precisión.

En términos sencillos, si lanzas suficientes dardos a la diana, incluso si comienzas con pocas habilidades, eventualmente darás en el banco. No es cuestión de suerte, es cuestión de probabilidad.

Conviértete en millonario

De acuerdo con *Market Insights* de *Spectrem*, en 2015 había más de diez millones de millonarios sólo en Estados Unidos. Existe una probabilidad de que tú también te conviertas en millonario o multimillonario. Tu trabajo es incrementar las probabilidades a tu favor al realizar más y más cosas que hacen que sea más probable que pases la marca del millón de dólares.

Una de las cosas que puedes hacer para incrementar tus probabilidades de tener éxito financiero es lanzar una red amplia. Continúa actualizando tus conocimientos y habilidades y reúne más información como si tu futuro dependiera de ello, porque así es.

Se dice que Warren Buffet lee y estudia 80 por ciento del tiempo. Antes de realizar una inversión, es una de las personas más informadas sobre el producto, el servicio, la compañía o la industria. Por su amplio rango de investigación, sabe exactamente lo que hace y por qué lo hace.

◆ ◆ ◆

Continúa actualizando tus conocimientos y habilidades y reúne más información como si tu futuro dependiera de ello, porque así es.

Rituales diarios

Las personas más exitosas siguen rituales diarios. Es útil que también desarrolles rituales. Son cosas que haces en automático, una y otra vez, que aumentan la probabilidad de que cumplas tus metas.

Por ejemplo, en general, los ricos tienen un excelente cuidado de su salud física. Se duermen temprano y descansas ocho o nueve horas cada noche. A menudo se levantan antes de las 6:00 a.m., tres horas antes de su primera reunión.

La gente exitosa planea su día por adelantado. Hacen una lista, por lo general la noche anterior, de todo lo que tienen que realizar el siguiente día. Organizan la lista por prioridad y eligen lo más importante que pueden hacer ese día. Antes de comenzar algo nuevo, lo escriben en su lista y le asignan una prioridad. Esta lista les brinda una guía y una tremenda sensación de control sobre su día.

Mejora tus habilidades continuamente

La gente exitosa construye su aprendizaje cada día. Leen treinta o sesenta minutos cada mañana, aproximadamente un libro cada semana. Leen en áreas que pueden ser útiles en su trabajo y navegan en internet para exponerse continuamente a nuevas ideas e información en sus respectivas especialidades.

Steve Jobs decía que "no puedes estar demasiado apegado a cómo crees que tu vida debe funcionar en lugar de confiar en que todos los puntos se conectarán en el futuro".

Tu trabajo es continuamente conectar más puntos. Aprender más cosas. Reunir más *factoides* –pequeñas piezas de información que agregan detalle a tu imagen– y obtener nuevas ideas y puntos de vista.

La diferencia entre las personas en casi todos los campos, los exitosos y los no exitosos, es que las personas exitosas simplemente saben más que sus competidores. Están mejor informadas.

◆ ◆ ◆

Tu trabajo es conectar
continuamente más puntos.
Aprender más cosas.

Suscríbete a síntesis

Como estás ocupado, deberías suscribirte a y leer síntesis de libros. Utiliza Summary.com y GetAbstract.com para obtener ideas de los mejores libros de negocios que salen cada mes. Suscríbete a Blinkist.com, una aplicación que te da resúmenes de quince minutos de los mejores libros cada semana.

Escucha programas educativos de audio a cada oportunidad. Suscríbete a Sudible.com, el cual tiene la mejor selección de programas educativos de audio en el mundo actualmente. Descarga estos programas en tu smartphone, y escúchalos cada vez que tengas tiempo libre: cuando estas manejado, haciendo ejercicio o caminando y tu mente está relajada. Algunas veces una sola idea nueva, combinada con tu conocimiento previo, puede hacerte ganar una fortuna.

Toma cursos adicionales

Asiste a cursos adicionales, seminarios y talleres. Ve a conferencias de expertos en practicantes, personas que son activas y exitosas en el campo sobre el que enseñan. Un seminario o taller te puede dar ideas que pueden ahorrarte años de trabajo duro tratando de aprender la misma cosa por ti mismo.

Toma buenos apuntes cuando aprendes cosas nuevas. Un proverbio chino dice: "La memoria más potente es más débil que la tinta más pálida." Grábalos en Evernote, una aplicación gratis disponible. Luego, revisa tus notas con regularidad.

Sin importar qué tan listo seas, por lo general toma seis repeticiones de una pieza de información antes de memorizarla por completo. Cuando tomas notas y las revisas con regularidad, incrementas exponencialmente tu nivel de retención, poniendo más ideas a tu alcance mental y volviéndolos accesibles para mejorar tu vida y tu trabajo.

◆ ◆ ◆

"Decido irme a dormir más inteligente que cuando desperté en la mañana."

Vuélvete más inteligente cada día

Una periodista que trabajó en la revista *Fortune* durante cuarenta años se retiró recientemente. En el tributo a ella y a sus contribuciones a la revista, le preguntaron por qué sentía que había hecho una gran diferencia en los últimos años. Respondió: "Decido irme a dormir más inteligente que cuando desperté en la mañana."

Deberías hacer lo mismo. Hazlo un ritual. Aprende y practica algo nuevo cada día. Aumenta la probabilidad de ser exitoso al aumentar el número de puntos que debes conectar con otros puntos para crear nuevas imágenes y generar nuevas ideas, permitiéndote lograr mejores objetivos. Las nuevas ideas y percepciones pueden motivarte a empezar y seguir hasta que tengas éxito.

“El éxito es una consecuencia

y no debe ser
un objetivo.”

Gustave Flaubert

Capítulo 7

Nunca te rindas

"No hay fracaso, excepto el de dejar de intentarlo. No hay derrota, excepto la que nos imponemos a nosotros mismos. No hay ninguna barrera insuperable, excepto nuestra inherente debilidad en cuanto al propósito".

—Elbert Hubbard

En 1895, Orison Swett Marden, fundador de la revista *SUCCESS* y autor de *Pushing to the Front*, expresó uno de los grandes principios del éxito de todos los tiempos. Dijo que hay dos partes del éxito: la primera es llegar a él y la segunda es perseverar en ello. Mi término para este enfoque es "comienza y sigue adelante". La persistencia y la determinación siempre han sido las cualidades más importantes para el éxito. Tan duro como es, casi cualquier persona puede empezar a trabajar. Pero para perseverar contra viento y marea y levantarte continuamente una y otra vez para enfrentar el fracaso y la decepción requieres lo mejor que hay en ti.

Napoleón Hill dijo: "La persistencia es al carácter del hombre lo que el carbón es al acero."

Mientras más persistas, más fuerte serás. Y mientras más fuerte seas, cuanto más serás capaz de persistir.

Persistencia y autodisciplina

Parece haber una relación entre la persistencia y la autodisciplina. La regla es que la persistencia es autodisciplina en acción. Es cuando te fuerzas a continuar, cuando te disciplinas a persistir, cuando todo en ti quiere desarrollar el tipo de carácter que te llevará a superar cualquier obstáculo.

Vince Lombardi dijo: "Los ganadores nunca renuncian y los inconstantes e inseguros nunca ganan."

También existe una relación directa entre la persistencia y las cualidades de la autoestima, el autorrespeto y el orgullo personal. Mientras más te disciplines para persistir en la adversidad, más te querrás y te respetarás, y te sentirás más poderoso.

Poniendo más ideas a tu alcance mental y volviéndolos accesibles para mejorar tu vida y tu trabajo.

◆ ◆ ◆

También existe una relación directa entre la persistencia y las cualidades de la autoestima, el autorrespeto y el orgullo personal.

Desarrolla la persistencia

La persistencia es un hábito, y como cualquier hábito, lo puedes desarrollar en ti con práctica y repetición. Cada acto de persistencia y autodisciplina fortalece todo otro acto de persistencia y autodisciplina. Cada **fracaso** de persistencia y autodisciplina te debilita en todas las demás áreas. Todas están conectadas.

Tu mente subconsciente es muy poderosa. En realidad puedes programarla previamente, al igual que programas una alarma, para que suene en la forma que lo desees. Si quieres ser una persona persistente, puedes programar tu mente previamente para **nunca rendirte**. La manera de hacer esto es sencilla, simplemente te dices: "Sin importar lo que suceda, nunca me rendiré."

Sorprendentemente, tu mente subconsciente lo acepta como una orden, como si hubieras programado un temporizador en tu celular. La próxima vez que tengas un retroceso o decepción que haría que una persona común renunciara, tu mente subconsciente "sonará" y te recordará: "Tú nunca te rindes." Entonces dirás: "Espera un minuto, yo nunca me rindo."

Estás a cargo

Nelson Mandela dijo: "No me juzgues por mis éxitos; júzgame por las veces que me caí y volví a levantarme."

Sólo hay una persona en el mundo que puede evitar que tengas éxito, y **eres tú**. Si decides que nunca te rendirás, la persistencia pronto se convierte en una respuesta automática a cualquier problema o adversidad. Sin siquiera pensarlo, te levantas –te aguantas, como dicen– y continúas avanzando.

Sabiendo la importancia de la persistencia para el éxito duradero, he practicado esta programación previa en mis hijos a medida que crecían. Durante su vida joven, le dije lo mismo a cada uno de ellos, una y otra vez: "Sé una cosa sobre ti. Nunca te rindes."

Sigue repitiendo el mantra

Sin importar cuántas dificultades o problemas tuvieran, o cuántas veces se decepcionaran de ellos mismos y sus resultados, los escuchaba pacientemente y les decía: "Sé una cosa sobre ti. Nunca te rindes."

Y funcionó. Mis hijos son adultos felices, sanos y con buena autoestima, ocupados y activos con sus familias y sus trabajos, y nunca ser rinden. No es una parte de su modo de ver el mundo. Nunca renuncian.

A cierta edad, ellos asumieron el control de su programación. En lugar de tener que decir "tú nunca te rindes" de forma regular, simplemente se lo decían ellos mismos: "No importa lo que suceda, nunca me rindo."

Sé imparable

Uno de los asistentes a mis seminarios una vez me preguntó cuál creía que fuera la cualidad más importante para el éxito en la vida. Lo pensé por un momento y respondí: "La cualidad de ser imparable."

¿Cómo te vuelves imparable? Simplemente te repites "¡Soy imparable!", una y otra vez. Luego, sin importar qué pase, rehúsate a parar hasta que hagas alcanzado tus objetivos.

Antes, he dicho que un gran punto de inflexión en mi vida fue cuando aprendí sobre objetivos. Poco después de eso, tuve un segundo punto de inflexión. Fue cuando descubrí que es posible aprender cualquier habilidad, cualidad o hábito que quieras para alcanzar cualquier meta que te propongas. Puedes aprender a ser persistente, así como puedes aprender cualquier tema. ¡Guau!

No hay límites

No eres un ser humano estático; eres un ser humano en "proceso". Estás en constante evolución y desarrollo en la dirección de tus pensamientos dominantes. Puedes convertirte en cualquier persona que quieras llegar a ser, con cualquier habilidad o hábito que desees desarrollar. No hay límites excepto los que te impones tú.

Cuando decides ser una persona segura, competente, autodisciplinada y persistente, y practicas y te desarrollas todos los días, no hay límites para lo que puedes ser, hacer o tener en los emocionantes meses y años venideros. Comenzarás a trabajar con confianza y continuarás hasta alcanzar la grandeza para la que naciste.

“Un hombre creativo está motivado por el deseo de lograr,

no por el deseo
de vencer a otros.”

Ayn Rand

Conclusión

Un buen momento para estar vivo

Es un buen momento para estar vivo. Nunca ha habido más oportunidades para más gente de crear nuevos negocios, carreras y ser exitosos como existen hoy en día.

El número de millonarios y billonarios está creciendo más rápido que en ningún otro momento de la historia humana.

Tienes más talento natural y habilidades de las que podrías usar en cien vidas.

Hay muy poco que no puedas lograr si estás seguro de tus metas, desarrollas planes escritos y trabajas en ellos hasta lograrlos.

Estás a cargo de tu vida, eres el responsable. Como dijo un hombre sabio: "No salgas y **tengas** un buen día; en su lugar, sal y **crea** un buen día."

El secreto para el éxito siempre ha sido el mismo: comienza y continúa.

Si puedes hacer estas dos cosas, cada día, no hay límites para lo que puedes lograr.

¡SÓLO HAZLO!

"Un ganador es alguien que reconoce los talentos que Dios le ha dado, trabaja esos talentos para desarrollar habilidades y usa esas habilidades para alcanzar sus metas.”

LARRY BIRD

Sobre el autor

Brian Tracy

Brian Tracy es el presidente de Brian Tracy International, una empresa de desarrollo de recursos humanos con sede en Solana Beach, California. Ha escrito setenta libros y producido más de ochocientos programas de formación de audio y video. Sus materiales han sido traducidos a 42 idiomas y son utilizados en 64 países. Es activo en asuntos comunitarios y sirve como consultor para varias organizaciones sin ánimo de lucro.

Actualmente es uno de los mejores oradores profesionales y formadores en el mundo. Se dirige a más de 250 000 hombres y mujeres cada año sobre temas de liderazgo, estrategia, ventas, realización personal y éxito empresarial. Ha impartido más de 5 000 conferencias y seminarios para 5 millones de personas en todo el mundo, con una mezcla única de humor, perspicacia, información e inspiración para sus audiencias.

Vive con su esposa, Barbara, y sus cuatro hijos en Solana Beach, California. Es un ávido estudiante de negocios, psicología, gestión, ventas, historia, economía, política, metafísica y religión. Cree que cada persona tiene un extraordinario potencial sin explotar al cual puede acceder y, al hacerlo, lograr más dentro de unos años que lo que una persona promedio logra en toda su vida.

Queremos compartir más momentos contigo.

Únete a la comunidad de Penguin Libros y encuentra tu siguiente lectura.